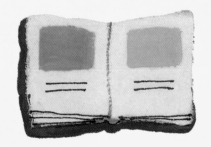

This book belongs to:

Daniel Crespo Reyes

love, the McGuire Family

Rich, Debbie, Nicole + Cristina :)

Illustrations by Paula Knight (Advocate)
English language consultant: Betty Root

This is a Parragon Publishing book
First published in 2002

Parragon Publishing
Queen Street House
4 Queen Street
BATH, BA1 1HE, UK

ISBN   0-75258-384-0

Printed in China

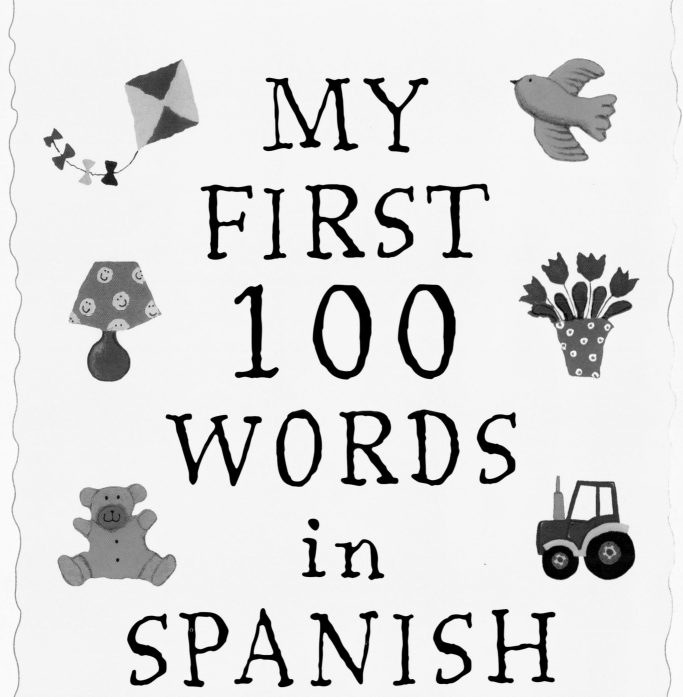

MY FIRST 100 WORDS in SPANISH

A first Spanish—English word book

p

Mi familia
My family

Mamá
Mom

Papá
Dad

el hermano
brother

la hermana
sister

el bebe
baby

la abuela
grandma

el abuelo
grandpa

el perro
dog

En mi casa
In my home

la puerta
door

la ventana
window

la alfombra
rug

la televisión
television

la silla
chair

el sofá
sofa

la mesa
table

las flores
flowers

Mi ropa
Getting dressed

la camiseta

undershirt

los calzoncillos

underpants

el pantalón corto

shorts

los pantalone.

pants

a falda
skirt

los calcetines
socks

los zapatos
shoes

la camisa
shirt

el suéter
sweater

La comida
Mealtime

el tazón
bowl

el plato
plate

el jarro
pitcher

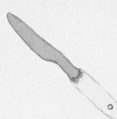

el cuchillo
knife

el tenedor
fork

la cuchara
spoon

la taza
cup

el platillo
saucer

La hora de jugar
Playtime

el tren
train

la trompeta
trumpet

el tambor
drum

los bloques de madera
blocks

a caja sorpresa
jack-in-the-box

la muñeca
doll

las pinturas
paints

el rompecabezas
puzzle

En la ciudad
In the city

el autobús
bus

el camión
truck

la tienda
store

la bicicleta
bicycle

el carro
car

el cochecito
stroller

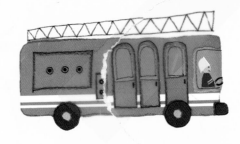
el coche de bomberos
fire truck

la moto
motorcycle

En el parque
In the park

los columpios
swings

el tobogán
slide

el subibaja
seesaw

la pelot
ball

la verja
gate

el árbol
tree

el pájaro
bird

la cometa
kite

Junto al mar
At the seashore

el cubo
pail

la pala
shovel

el helado
ice cream

el pez
fish

el castillo de aren
sandcastle

la playera
t-shirt

el cangrejo
crab

el barco
boat

la concha
shell

En la tienda
At the store

la canasta	el carrito	los plátanos	las manzanas	las naranjas
basket	cart	bananas	apples	oranges

as zanahorias
carrots

el pan
bread

los tomates
tomatoes

la leche
milk

el queso
cheese

En la granja
On the farm

el caballo

horse

la vaca

cow

el granjero

farmer

el puerco

pig

la gallina

chicken

el gato

cat

la oveja

sheep

el tractor

tractor

La hora del baño
Bathtime

el cepillo para los dientes
toothbrush

la pasta de dientes
toothpaste

el baño
bathtub

el pato
duck

el jabón
soap

la toalla
towel

el orinal de niño
potty

la vasija
sink

A la cama
Bedtime

la lámpara
lamp

las pantuflas
slippers

la cama
bed

el relo
clock

el libro
book

la luna
moon

el pijama
pajamas

el oso
teddy bear